# *Aprendendo a Conviver com Quem se Ama*

Neale Donald Walsch

*Autor de* Conversando com Deus

# *Aprendendo a Conviver com Quem se Ama*

SEXTANTE

Publicado originalmente nos Estados Unidos por Hampton Roads Publishing Company, Inc., com o título *On relationships*

*tradução*
Maria Helena Rangel Geordane
*preparo de originais*
Regina da Veiga Pereira
*revisão*
Sérgio Bellinello Soares
*capa*
Adriana Moreno
*diagramação e projeto gráfico*
Valéria Facchini de Mendonça
*fotolitos*
Mergulhar Serviços Editoriais Ltda.
*impressão e acabamento*
Geográfica e Editora Ltda.

Miolo impresso em Chamois Bulk Dunas 90g/m²

CIP-BRASIL. CATALOGAÇÃO-NA-FONTE
SINDICATO NACIONAL DOS EDITORES DE LIVROS, RJ.

W19a Walsch, Neale Donald
Aprendendo a conviver com quem se ama
/ Neale Donald Walsch ; tradução de Maria Helena Rangel Geordane.
– Rio de Janeiro : Sextante, 2002

Tradução de: On relationships
ISBN 85-7542-013-5

1. Relações interpessoais. 2. Vida espiritual.
I. Título.

02-0225.

CDD 158.2
CDU 316.472.4


Editora Sextante (GMT Editores Ltda.)
Rua Voluntários da Pátria, 45 – Gr. 1404 – Botafogo
22270-000 – Rio de Janeiro – RJ
Tel.: (21) 2286-9944 – Fax: (21) 2286-9244
Central de Atendimento: 0800-22-6306
*E-mail:* atendimento@esextante.com.br
www.esextante.com.br

# Dedicatória

Uma vez mais, para Nancy,
que personifica toda a definição de
relacionamento maravilhoso.

Se a conhecessem, não precisariam ler
nem mais um livro, tocar nem mais uma canção,
ouvir nenhum outro sermão, responder qualquer
pergunta.
Tudo que teriam de fazer
seria observá-la.

# Introdução

Os relacionamentos são a experiência mais importante de nossa vida. Sem eles, não somos nada.

Literalmente.

Isso porque nós só sabemos quem somos quando nos relacionamos com algo ou alguém.

Felizmente, não há um sequer de nós que não tenha um relacionamento. Na realidade, nós nos relacionamos com tudo e com todos, o tempo todo. Mantemos um relacionamento com nós mesmos, com nossa família, com nosso meio ambiente, com nosso trabalho e uns com os outros.

Tudo que sabemos e experimentamos a respeito de nós mesmos vem através de nossos relacionamentos. Os relacionamentos são essenciais para a nossa felicidade. Por esse motivo, os relacionamentos são sagrados. Todos os relacionamentos. Em algum lugar, bem dentro de nosso coração e de nossa alma, sabemos disso. Daí vem nosso imenso desejo de multiplicar os relacionamentos – e de que os relacionamentos tenham significado. Por isso não entendemos por que temos tantos problemas com nossos relacionamentos. Mesmo pessoas normalmente confiantes e competentes são diariamente confrontadas com a dificuldade que existe em relacionar-se, mesmo com os seres mais queridos e com quem desejamos estar em harmonia para nossa felicidade. Ante essas dificuldades, ficamos nervosos, perdidos, desorientados, sem compreender o que está acontecendo. Precisando de ajuda.

Na realidade, nada criou mais problemas para nossa espécie, nada produziu mais dor, mais sofrimento ou provocou mais tragédias do que aquilo que estava destinado a nos trazer as maiores alegrias – nosso relacionamento uns com os outros. Ainda não encontramos, nem individualmente nem coletivamente, socialmente ou politicamente, localmente ou internacionalmente, um modo de viver em harmonia. Simplesmente achamos muito difícil conviver – quanto mais amarmos uns aos outros.

O que significa tudo isso? O que será que acontece? Acho que sei. Não que eu seja algum gênio, mas sou um bom ouvinte. E durante muito tempo fiz perguntas sobre esse assunto. Há alguns anos, comecei a receber respostas. Creio que essas respostas vieram de Deus. No momento em que as recebi, sofri tamanho impacto e fiquei tão impressionado, que decidi manter um registro daquilo que estava recebendo. Esse registro se transformou na série *Conversando com Deus* e em *Uma Amizade com Deus,* que se tornaram *best-sellers* em todo o mundo.

Vocês podem beneficiar-se das respostas que recebi, mesmo que não acreditem que elas vieram de Deus. É necessário apenas que permaneçam abertos à possibilidade de que haja alguma coisa que a maioria dos humanos não entende totalmente a respeito dos relacionamentos e que entender isso poderia mudar tudo. Mudar nossa vida, fazer-nos mais felizes.

Foi com essa disposição que um grupo de cerca de quarenta pessoas se reuniu numa casa nos arredores de São Francisco, Califórnia, para, juntamente comigo, explorarmos mais profundamente o que *Conversando com Deus* e *Uma Amizade com Deus* têm a dizer sobre os relacionamentos. Partilhei com o grupo tudo o que havia entendido do diálogo sobre esse assunto e respondi a todas as perguntas que surgiram. A sinergia daquela tarde provocou uma experiência eletrizante, que resultou num fluxo abundante de maravilhosa sabedoria.

Este livro é uma transcrição daquele evento e pode ser lido de maneira muito mais fluente – e, penso, mais estimulante – do que um texto escrito para a página impressa.

Em essência, o que Deus nos diz em *Conversando com Deus* e em *Uma Amizade com Deus* é que a maioria de nós inicia um relacionamento pelas razões erradas. Ou seja, por razões que nada têm a ver com nosso objetivo geral de vida. Quando o motivo para um relacionamento está em harmonia com a razão de ser da alma, nossos relacionamentos não somente são entendidos como sagrados, mas são considerados felizes.

Relacionamentos felizes. Para muitas pessoas essa é uma realidade quase impossível, fruto de inúmeras experiências frustradas e sofridas. Eu mesmo já participei desse grupo de céticos. No entanto, hoje sei que é possível ter relacionamentos felizes e as extraordinárias percepções dos meus dois livros nos mostram isso.

Aqui estão essas percepções como as recebi e entendi. Humildemente, divido-as com vocês, na esperança de que, se um simples comentário abrir uma nova janela ou escancarar uma porta para um pouco mais de felicidade, terá valido a pena.

*Neale Donald Walsch*

# Relacionamentos

Bem-vindos a esta sala. É bom ver todos vocês aqui.

O assunto de hoje são os relacionamentos humanos, com que muitos de nós têm tanta dificuldade. Como sabem, se leram alguma coisa do que escrevi, estou entre os que viveram relacionamentos extremamente problemáticos que me deixaram sem saber como fazê-los funcionar, fazê-los durar e, afinal, fazê-los adquirir sentido na minha vida.

Nunca cheguei realmente a entender, até tempos mais recentes, o que faz com que os relacionamentos funcionem e qual era sua finalidade na minha vida. Em geral, envolvia-me nos relacionamentos pelas razões erradas.

De modo geral, iniciava os relacionamentos com

um olho no que podia obter deles. Não estou certo de que estivesse disposto a admitir isso para mim mesmo. Pensando bem, concluo hoje que eu não queria me conhecer. Naquela época eu não seria capaz de dizer: "O que vou tirar desse relacionamento?" Não articularia a frase assim. Mas acabei constatando que era isso que acontecia, assim que deixava de tirar do relacionamento o que imaginava que tiraria. Quando isso acontecia, eu queria terminar o relacionamento.

E foi esse o padrão que me vi praticando na maior parte da minha vida adulta. Interrompia os relacionamentos quando não obtinha o que queria. Entenderam? E em seguida iniciava outro relacionamento. Muito rapidamente. Eu era um monógamo obcecado. Um relacionamento após outro, após outro, procurando o par adequado e perfeito que poderia, finalmente, me completar. Que poderia, quem sabe, ver quem eu realmente era e me levar à felicidade.

Eu queria ser justo. Me esforçava ao máximo, tentando parecer atraente para o outro. Conhecia bem esse jogo. Depois de alguns relacionamentos fracassados, achei que tinha descoberto o que os outros buscavam num relacionamento. Comecei então a me empenhar com persistência para proporcionar-lhes o que queriam – como se eu fosse uma mercadoria negociável. Aprendi, entre outras coisas, a sublimar certas partes da minha própria personalidade que descobria, depois de alguns relacionamentos fracassados, que não eram atraentes para o outro.

Vou lhes dar um exemplo, um exemplo tolo, mas que ficou gravado em mim, acho que por causa da sua tolice. Namorei uma mulher durante algum tempo e pensei que seria o amor da minha vida. Ela foi, de fato, o amor da minha vida durante o tempo em que estivemos juntos. Conhecem a velha canção, "quando não estou perto daquele que amo, amo aquele que está perto de mim"?

Eu estava então nesse relacionamento com essa mulher maravilhosa. Profundamente apaixonado ou pensando que estava. Fomos ao teatro uma noite, numa de nossas excursões ao mundo exterior, ao mundo social. A peça era uma comédia e eu comecei a rir.

Tenho uma risada rouca e barulhenta. Solto uma risada gostosa e toda a sala sabe que estou rindo. Faz parte de minha maneira de ser. Não planejei assim, simplesmente é assim. Eu ria estrepitosamente. Todo mundo adora, naturalmente, porque vou provocando outras risadas e o ambiente fica animado.

Sou sempre bem-vindo em lugares onde há atores, porque sou realmente um furacão. Mas a mulher com quem estava, e que eu amava tão desesperadamente (e uso o termo deliberadamente – estava desesperado com meu amor por ela), quanto mais eu ria, mais se encolhia. Até hoje consigo vê-la, sentada ao meu lado, tentando desaparecer. Nos intervalos, me perguntava: "Você tem de rir assim?" E me lembro de ter pensado: "Assim como?", porque não estava consciente de que minha risada a desconcertava, de que, de algum modo, ela ficava envergonhada por causa do homem ao seu lado que ria daquele jeito.

Lembro-me do meu desejo profundo de fazer o que fosse necessário para mantê-la na sala. Quero dizer, na sala da minha vida.

A propósito disso, devo confessar, fazendo um parêntese, que passei a maior parte da vida tentando manter todos vocês na sala. Faço qualquer coisa. Quase qualquer coisa, mas fiquem na sala comigo. Não saiam da sala. O que posso fazer para mantê-los aqui? Que parte da minha personalidade devo sacrificar para mantê-los aqui? Não importa. Eu a sacrificarei. Tudo que importa é: fiquem na sala da minha vida.

É impossível dizer-lhes o quanto sapateei – e não foi de acordo com minha própria música. Você dá o tom e eu danço. Juro que me esforço, mesmo se não tiver jeito, mesmo se detestar a música e ela não tiver nada a ver com meu modo de ser. Fiz isso no teatro aquela noite.

Veio o segundo ato, houve umas piadas engraçadas e aí entra o meu desejo de agradar, sentado, tentando reprimir o riso. No terceiro ato, entreguei os pontos. Mas como minha gargalhada estava censurada, ela saiu espremida, reprimida. E durante muitos anos foi assim que eu ri. Passei a rir o que se chama um não-riso, até que alguém me disse: "Tem alguma coisa errada com você? Você está se sentindo bem?"

E não foi um alguém qualquer. Eu participava de um *workshop* com a Dra. Elizabeth Kübler-Ross, que me pegou exatamente nessa situação de riso reprimido. Ela disse algo engraçado, quando eu estava na primeira fila. Eu ri daquele jeito espremido e ela me olhou espantada: "O que há com você?"

"Nada, achei engraçado."

Ela disse: "Então, por que não solta seu riso?"

Alguém aqui conhece Elizabeth Kübler-Ross? É uma médica notável que se especializou em experiências de quase-morte. Tem um sotaque suíço muito pesado. Eu me tornei amigo dela. Terminei trabalhando em sua equipe. Que isso seja um aviso: alguns de vocês poderão estar fazendo parte da minha equipe antes que o dia termine.

E ela perguntou: "Por que não libera isso?"

Eu respondi: "O que quer dizer? Eu estava rindo."

"Não, não estava", ela retrucou. "Por que não libera essa risada? E por que não libera a dor também? A dor de segurar quem você realmente é?"

Foi assim que tomei consciência de que vivia negociando aspectos de mim mesmo para manter as pessoas na sala da minha vida. Fazia o que achava necessário para manter a sala cheia. E, no entanto, ficava absolutamente perplexo e frustrado porque, por mais que eu fizesse para manter a sala cheia, ela continuava se esvaziando. As pessoas continuavam saindo, até que finalmente eu me surpreendi gritando: "O que é que vocês querem? O que é necessário fazer para que um relacionamento funcione?"

Eu não entendia o que acontecia. Nem me dava conta de que estava, de fato, trocando isso por aquilo. Desse jeito: eu não vou rir assim, se você não tossir assim. Não vou comer assim, se você não se esquecer de colocar a tampa no tubo da pasta de dente... isso ou qualquer outra coisa que estivéssemos negociando. E é claro que as negociações envolviam questões muito mais amplas.

Fui ficando cada vez mais enredado nesse tipo de conchavo, como se fosse uma interminável troca de mercadorias. De fato, eu negociava. E me dava conta de que estava negociando quando a outra pessoa parava de negociar comigo o que eu pensava que ela deveria me dar. Porque era esse o nosso acordo: eu lhe dou isso, você me dá aquilo. Quando eu deixava de receber o que achava que deveria receber, abandonava o relacionamento. Ou, em alguns casos, quando o outro deixava de receber o que pensava que lhe era devido, o que pensava que eu iria lhe dar, abandonava a sala.

Foi assim que descobri que eu estabelecia relacionamentos pelas razões erradas, que de algum modo estava sempre procurando aquele tesouro, aquela moeda negociável que seria suficiente para manter todos na sala. Que aspecto do meu eu seria tão atraente, tão irresistível, tão magnético, que, independentemente de qualquer outro fator, faria os outros permanecerem na sala? Eu não entendia o que não funcionava, até perder mais um de uma série de relacionamentos importantes.

Então, tive aquela extraordinária conversa com Deus, na qual Ele disse: "Neale, Neale, Neale, você obviamente não vê o que está acontecendo. Em primeiro lugar, você mantém relacionamentos pelas razões erradas. Você os mantém pelo que pode tirar deles. E está muito disposto a negociar. Mas você vê os relacionamentos exatamente assim – como transações comerciais. E não entende o propósito de um relacionamento, que não tem nada a ver com o que você acha que pode tirar dele e tem tudo a ver com o que você decide investir nele. Não investir como *meio de extrair dele o que acha que quer receber,* mas simplesmente investir como uma maneira de descobrir quem você realmente é.

"Então, quando investir num relacionamento, tenha certeza de que está sendo autêntico. E nunca negue, nem por um momento, seu verdadeiro eu. E se o seu verdadeiro eu não for suficiente ou atraente o bastante para manter aquelas pessoas na sala, deixe que se vão. Porque outras, que considerarão seu verdadeiro eu atraente, virão para a sala da sua vida. E quando vierem atraídas por sua autenticidade, elas ficarão, porque você não terá de prosseguir atuando para mantê-las na sala. Poderá ser apenas o que é. E o sapateado não será mais necessário."

Isso provocou uma enorme mudança nos meus relacionamentos. Mudou todo o paradigma da minha experiência, porque finalmente entendi o que estava fazendo.

Entendi também que o relacionamento é a experiência individual mais importante que podemos criar para nós mesmos. E que, na ausência do relacionamento, não somos nada. Sem vocês, não sou absolutamente nada. Vocês provavelmente sabiam disso quando vieram até aqui e se sentaram: "Sem nós, o Neale não é nada." Talvez não estivessem conscientes disso, mas, de certa forma, sabiam. E é verdade. Porque sem vocês não sou absolutamente nada. Sem você que está me escutando, não sou nada. Sem você que está me lendo, não sou nada. Isso é verdade, porque, na ausência de relacionamentos, não somos nada. Só posso ser quem sou em relação a algo que experimento. Quero dizer, experimentalmente, nada posso saber a respeito de mim mesmo sem que vocês estejam na sala, sem aqueles que me lêem.

Para que eu pudesse entender isso melhor, Deus me presenteou com uma interessante imagem que transmito a vocês. Ele me disse: "Imagine que você está numa sala toda branca, totalmente branca: assoalho branco, teto branco, paredes brancas. Imagine que você está suspenso nessa sala, como por mágica, de modo que não pode tocar em nada, pendurado ali, como um enfeite de Natal, sem mesmo um fio atando-o a nada, suspenso no ar. Você está nesse mar de brancura. Imagine que nada mais existe. Quanto tempo você acha que existirá em sua própria experiência?" A resposta me veio espontaneamente: "Provavelmente não por muito tempo."

Porque, na ausência de qualquer outra coisa, nada posso experimentar a meu respeito. Quer dizer, eu sou o que sou, mas não posso *saber* que sou. Não posso experimentar que sou, a não ser em relação a alguma outra coisa. Na situação da sala branca, nada posso saber a respeito de mim mesmo.

No entanto, se alguém entrasse naquela sala toda branca e colocasse um pingo mínimo de tinta na parede, se eu pudesse ver aquele pequeno pingo preto, eu subitamente passaria a existir. Em primeiro lugar, existiria "lá" e "aqui". Porque o pingo estaria lá e eu estaria aqui. Eu começaria a me definir em relação àquela outra coisa. Nesse caso, o pingo na parede. Talvez dissesse uma palavra como "maior" do que o pingo. Ou mais claro do que o pingo.

Poderia até achar, me comparando com o pingo na parede, que sou "mais esperto". Posso ser mais rápido ou mais lento, "mais isto" ou "mais aquilo" em relação ao pingo.

Ponham um gato na sala e subitamente tenho uma experiência mais ampla de mim mesmo, porque aquilo que está no mesmo espaço que eu é muito maior do que o pingo na parede. Agora posso formular vários outros conceitos sobre mim mesmo. Talvez o gato seja mais macio do que eu, mas eu seja mais velho do que ele, ou qualquer outra coisa. Vejam que começo a conceber a mim mesmo com base em quem está ao meu redor e nas coisas que estão ao meu redor. Por isso, o relacionamento com outras pessoas, lugares e coisas não é somente importante, mas vital. Na ausência dessa relação com todas as coisas, simplesmente não sabemos quem somos.

Então, começo a entender a razão da existência do relacionamento – meu relacionamento com essa mesa, com esse copo de água e com vocês que dividem esse momento e esse lugar comigo. É a partir do meu relacionamento com vocês que não somente eu me conheço, mas também me *defino*. O que significa dizer: eu defino *quem eu sou* no relacionamento com quem vocês são.

Aqui vem uma questão interessante. Só posso ver em mim o que estou disposto a ver em vocês.

E o que eu deixo de ver em vocês, jamais encontrarei em mim mesmo, porque não sei que existe. Por isso, não posso encontrar a divindade em mim até que procure, descubra e reconheça a divindade em vocês. Se deixar de reconhecer a divindade em vocês, deixarei de reconhecê-la em mim e serei incapaz de identificar qualquer coisa boa em mim. Ou, nesse mesmo sentido, qualquer coisa ruim. Pois nada pode existir em mim que não exista em vocês. Descobrimos então que o relacionamento tem um lugar único em nossa vida, não apenas um lugar importante, mas um lugar insubstituível. Porque é fundamental sabermos quem somos, e só o relacionamento é capaz de fazer isso. Estou falando aqui não só do relacionamento com as pessoas, mas também com lugares, coisas e até acontecimentos – mesmo nosso relacionamento com o que ocorre em nossa vida.

Todos nós temos um relacionamento com as circunstâncias e os fatos de nossa vida. É graças a esse relacionamento que experimentamos, anunciamos e declaramos, expressamos, realizamos e nos tornamos o que realmente somos.

Quando entendemos o lugar sagrado que o relacionamento ocupa na experiência de todos nós, passamos a saber realmente que a experiência do relacionamento é sagrada – não apenas em pensamento, em palavras, mas *de fato.* Quando entendemos isso, os *fatos* que desenvolvemos nos relacionamentos começam a mudar drasticamente.

Em primeiro lugar, vemos claramente o segredo que acabei de anunciar: que somente posso ver em mim o que vejo em vocês. Quando esse segredo é compreendido, essa se torna nossa principal função no relacionamento: olhar cada pessoa em profundidade, vendo nela o melhor que ela pode vir a ser, e ajudá-la a transformar essa visão em realidade, se ela desejar fazer isso. Então, o que os parceiros deveriam realizar um com o outro não seria tirar um do outro o que precisam para si, mas dar um ao outro o que cada um precisa para crescer e tornar-se plenamente o que pode ser. Permitir que as pessoas a quem estamos ligados se expressem e experimentem quem realmente são, porque vemos a importância vital disso. Sabemos que essa é, de fato, a razão de ser de todo relacionamento, sua própria razão de existir.

De repente nosso objetivo num relacionamento se transforma inteiramente. Vou repetir, porque é importante: não tentamos mais descobrir o que podemos tirar do relacionamento, mas o que podemos dar. O que podemos tornar possível no outro? Que potencial do outro podemos ajudar a desenvolver? O que podemos criar? O que podemos motivar, concretizar – tornar real? Assim como "damos brilho" em nosso carro, podemos "dar brilho" em pessoas, dentro do que são, para que realizem o máximo de seu potencial. Basta estimulá-las e elas se "realizarão". Esta é, afinal, a auto-realização definitiva.

Este é o segredo que quero partilhar com vocês hoje. Muitas pessoas estão em busca da auto-realização. Algumas acham que é possível conseguir a auto-realização mantendo-se sentadas e em silêncio. Elas pensam: "Vamos então nos realizar sentando-nos em silêncio, sozinhas numa sala, talvez com uma vela e, quem sabe, música suave. Talvez possamos emitir alguns sons que nos ajudem na meditação." Não quero que imaginem que estou desvalorizando essa experiência, nem dizendo que é errada. Pelo contrário: quanto mais tempo passarem envolvidas nisso, melhor. Mas, se acharem que essa é a única maneira de se auto-realizar, não terão entendido a grande sabedoria: estamos aqui um para o outro. Estamos aqui para nos relacionarmos.

Definitivamente, não se consegue a auto-realização no isolamento. A auto-realização é alcançada quando nos damos conta de nosso eu como o vemos no outro. Por esse motivo, os verdadeiros mestres não fazem outra coisa senão caminhar pelo mundo, devolvendo as pessoas a si mesmas. Vocês alguma vez foram vistos por um grande mestre? Já estiveram na presença de alguém que consideravam um mestre espiritual? Já estiveram na mesma sala com alguém que esteja trabalhando para chegar a esse nível de sabedoria? Se já estiveram (e vocês os reconheceriam de imediato), terão notado que eles passam a maior parte de seus dias e de seu tempo vendo essa sabedoria em vocês. Eles olham para as pessoas profundamente, bem nos olhos, e as vêem como elas próprias jamais se haviam imaginado.

Quando usamos um relacionamento dessa maneira deliciosa, transformamos toda nossa experiência de nós mesmos com nossos entes queridos. Subitamente, nada queremos *deles* – queremos somente dar-lhes tudo. Procuramos dar tudo que somos a eles, sem necessitarmos de nada em troca. Sei que isso parece impossível, mas quanto mais caminharmos nessa direção e nos aproximarmos desse ideal, mais felizes seremos em nossos relacionamentos.

É bom deixar claro. Isso não significa que vamos permitir que nos maltratem. Isso não significa que permitamos ser de algum modo vítimas num relacionamento que funciona mal. Não é disso que estou falando. A vida não exige que fiquemos na mesma sala com alguém que abusa de nós, que nos desvaloriza, que nos agride.

Isso quer dizer que, à medida que nos doamos da maneira mais completa, nós nos permitimos ter a experiência de um amor que não conhece condições. Mesmo quando dizemos "decido não morar com você". Qualquer dia desses vamos encontrar um meio de fazer isso que chamamos de separação sem amargura. Sem precisar de advogados.

Um dia desses seremos capazes de olhar um para o outro e dizer: "Percebo que nosso tempo juntos se encerrou. Percebo que esse é o momento de continuarmos a nos amar sem condições, de continuar a dar um ao outro as dádivas que podemos dar plenamente, mas que devemos fazê-lo do outro lado da sala ou do outro lado da rua ou de algum outro lugar do mundo. Porque alguns de seus comportamentos não estão em harmonia com o modo que escolhi para viver minha vida. E isso não quer dizer que eu não ame você."

Um dia desses, seremos capazes de dizer essa verdade sem ter de achar que há algo errado com o outro ou de transformá-lo no vilão da peça, para justificar nossa verdade. Simplesmente porque constataremos que somos diferentes e que aquilo que é uma necessidade absoluta para o outro não me faz feliz. Por uma questão até de respeito pelo outro e por mim mesmo. Quando chegarmos a esse lugar, poderemos então criar o relacionamento amoroso e duradouro que desejamos ter na vida, porque esses relacionamentos também não dependem de qualquer condição, nem têm limites.

Vou lhes dizer o que sei sobre os melhores relacionamentos e como eles funcionam. Em primeiro lugar, são relacionamentos que desconhecem condições. Não há condicionalidade nos melhores relacionamentos. Não há limites. Porque os relacionamentos baseados no amor real – um amor que é verdadeiro – são relacionamentos total e completamente livres.

A liberdade é a essência de quem somos. A liberdade é a essência do amor. A palavra *amor* e a palavra *liberdade* são intercambiáveis. Assim como a palavra *alegria*. Alegria, amor, liberdade – amor, liberdade, amor, alegria. Todas significam a mesma coisa. E a alma humana não pode ser alegre se for restringida ou limitada de algum modo.

Prestem atenção no que vou dizer agora: quando amamos, nunca procuramos limitar ou restringir de qualquer modo aquele que amamos. O amor diz: "O que eu desejo para você é o que você deseja para si mesmo." O amor diz: "Escolho para você o que você escolhe para você." Quando digo: "Escolho para você o que *eu* escolho para você", não estou amando você. Estou me amando *através* de você, porque estou tendo o que quero, em vez de ver você tendo o que quer.

O que é fantástico nessa colocação é que no momento em que digo: "Escolho para você o que você escolhe para você", você nunca me abandonará. Porque tudo o que procuramos é alguém que nos permita ter o que queremos da vida. O mundo todo conspira para não nos deixar ter o que desejamos, a começar por nossos pais, desde muito cedo. "Não, não pode ter isso." Depois vêm os professores na escola. "Não masque chicletes na sala, não ria desse jeito, não pense daquela maneira." E restrições cada vez maiores.

Prossegue nos anos da adolescência, quando nossa sexualidade brota nos fazendo desejar algo, e o mundo conspira para nos mostrar que, de algum modo, é inadequado querer aquilo – em algumas religiões até mesmo pensar naquilo. Que estrago fizemos nesse planeta com nossa insana visão do sexo. Uma absoluta insanidade.

Essas proibições persistem nos primeiros anos de nossa vida adulta e por muitos anos depois, com o mundo armando um jeito de nos dizer que não podemos ter o que realmente queremos. Conheço algumas esposas que se dirigem aos maridos consultando: "Querido, a associação está promovendo um curso de costura de seis semanas, todas as terças-feiras à noite. Gostaria de freqüentá-lo." E conheço alguns maridos que respondem: "Não." Vocês conseguem imaginar um homem dizendo à sua mulher: "Não quero que você freqüente aquela aula de costura"? E, no entanto, acontece.

"Archie, é apenas uma aula de costura."

"Reprima esse desejo. Reprima-se, Edith."

Quando esse diálogo foi encenado no teatro, as pessoas riram porque metade do país se viu retratada naquela cena. E era um riso constrangido.

Tive um pai – Deus lhe dê o descanso eterno – a quem eu amava muito, mas ele era exatamente dessa maneira. Coisas assim: "Sou eu que mando nesta casa. E sua mãe não pode freqüentar um curso de costura sem minha autorização e dificilmente darei a autorização."

Num relacionamento construído em torno de uma genuína expressão de amor, é natural que a mulher se dirija ao marido e pergunte: "Posso freqüentar um curso de costura?" Mas ela não está pedindo permissão, quer saber apenas se o curso interfere na vida deles. Também é natural que ela diga, com a mesma intenção: "Vou almoçar com Harry." E o marido, que se chama Mike, responde: "O que eu desejo para você é o que você deseja para você mesma. Você quer almoçar com Harry? Pois almoce com Harry. Eu a amo muito e quero para você o que você quer para si mesma."

Se Harry tem alguma intenção de roubar a mulher de Mike, pode desistir. Porque o número de pessoas que abandonarão os Mike – aqueles que lhes dão o tipo de liberdade que lhes permite expressar-se a si mesmas – é mínimo. Mas é enorme o número de mulheres que acabarão abandonando Mike se ele disser: "Você não vai almoçar com Harry – aliás, nem mencione esse nome nesta casa! Nem pense nisso. Você ficou maluca? Você não entende que me pertence? Você é minha mulher."

A propósito, as mulheres, de vez em quando, também fazem isso com os homens. "Por falar nisso, querida, eu queria almoçar com Matilda." Ela pula imediatamente: "Nada disso." O exemplo pode parecer tolo, mas serve para lhes chamar a atenção. A vida lhes dará, em grande número, essas oportunidades para demonstrarem quem vocês realmente são. É possível que ela diga: "Seus encontros com Matilda me fazem sofrer.

Você pode abrir mão deles?" E os dois irão conversar para descobrir o que é melhor para o relacionamento. Não se trata de imposições, mas da administração em comum da felicidade dos dois.

O amor jamais diz não. Sabem como sei disso? Porque Deus nunca diz não. E Deus e o amor são a mesma coisa. Deus jamais lhes diria não, mesmo que o pedido fosse absurdo. Ainda que Deus achasse que o que estava sendo pedido iria colocá-los em dificuldade. Como Matilda. Ou Harry. Ou qualquer outra coisa. Deus jamais lhes dirá não, porque Deus entende que, em última instância, vocês não podem envolver-se no problema maior. Sabem qual é o problema maior? É não serem. Vocês não podem se prejudicar a ponto de não serem. Vocês só podem evoluir e crescer e se tornarem cada vez mais o que realmente são. Assim, Deus nos diz: "Escolho para você o que você escolhe para você. E desafio você a fazer o mesmo em relação àqueles que ama."

Vocês que estão na platéia, acordem. Quero que todos vocês acordem. Porque quero que saibam que começarão a adormecer quando forem confrontados com aquilo que não querem ouvir. Vocês literalmente dormirão na cadeira. E pensarão, naturalmente, que é porque estão cansados, porque foram dormir tarde, e que o sono não tem nada a ver com aquilo que estou falando. Esse é o mecanismo do subconsciente, quando começa a ser confrontado com dados que não quer receber ou aceitar. Então vocês pensam: "Vou dormir nessa parte, é um pouquinho só." Tenham cuidado, porque a maior parte das pessoas se comporta como sonâmbulos durante toda a vida. Prestem atenção, portanto, para não passarem a vida toda agindo como sonâmbulos. Fiquem acordados. Fiquem acordados. Como diz o evangelho, "vocês não sabem a que horas o mestre virá". E o mestre não vem para nos vigiar e nos punir, mas para nos fazer descobrir coisas que serão importantes para o nosso crescimento. Mesmo que à primeira vista pareçam penosas, mesmo que o nosso primeiro movimento seja rejeitá-las.

Há uma pergunta da platéia sobre essa delicada questão do relacionamento. Vamos ver qual é a pergunta.

*Neale, no terceiro livro de* Conversando com Deus, *você perguntou a Deus sobre a instituição do casamento. E Deus menosprezou a pergunta, dizendo que o casamento não tinha grande validade. Você acredita nisso?*

Bem, acho que você interpretou mal o que Deus disse naquele ponto. Deus não afirmou que o casamento não tem validade. Deus não menosprezou o casamento. Deus disse que o casamento, do modo como vem sendo estabelecido atualmente...

*A instituição do casamento.*

Mesmo a instituição, *do modo como a planejamos hoje* – não a instituição por si e não o casamento por si, mas o casamento como vocês (a sociedade) o construíram, como vocês o planejaram –, não tem validade, se considerarmos aquilo que os seres humanos desejam mais profundamente.

A própria validade é um termo relativo. Relativo a quê? Válido em relação a quê? Vejam, Deus diz que não existe isso de certo ou errado, acreditem, porque certo e errado são termos relativos. Algo que estava certo ontem está errado hoje e vice-versa. A vida tem nos mostrado isso amplamente.

Não precisamos prosseguir nessa questão. Qualquer pessoa mais consciente compreende que certo e errado são termos relativos. E Deus usa os termos certo e errado, ou válido e nulo, com relação ao que estamos anunciando e declarando que escolhemos para nós mesmos, como espécie e como indivíduos.

O que nós anunciamos e declaramos que escolhemos para nós mesmos é que o casamento seja a mais alta expressão da maior experiência de amor de que os seres humanos são capazes. Nós dissemos: "Escolhemos que o casamento seja uma expressão do mais amplo e maior amor de que os humanos são capazes." Em seguida, construímos uma instituição matrimonial e uma experiência matrimonial que produz exatamente o oposto disso: o casamento, na maioria dos casos, tornou-se a forma mais baixa de amor de que os humanos são capazes. Um amor que possui, em vez de soltar. Um amor que limita, em vez de expandir. Um amor que domina, em vez de libertar. Um amor que torna tudo ao seu redor menor, em vez de expandir.

Criamos uma experiência de casamento que em muitos aspectos nada tem a ver com amor. Criamos um invólucro, uma casca, algum tipo de embalagem. E queremos que o casamento seja isso. Queremos que ele seja uma embalagem que encerre tudo exatamente como era no momento em que eu disse que amava você e que mantenha tudo exatamente como estava naquele primeiro momento. Mas as pessoas e os acontecimentos se movem. Mudam. A vida é uma evolução. E, assim, o casamento, como o construímos, funciona contra o próprio processo da vida, porque, da forma como muitas sociedades, religiões e tradições familiares o conceberam, proporciona pouco espaço para se respirar, se expandir, para crescer.

Em geral, o casamento tem sido usado por essas sociedades, religiões e famílias como uma miniprisão, como um arranjo contratual que diz: "Tudo será, agora e daqui por diante, como é neste momento. Você não amará ninguém mais e certamente não demonstrará por ninguém mais esse amor como o demonstrou por mim. Você não irá a nenhum lugar, a não ser aonde eu for. Você fará poucas coisas independente de mim, e sua vida será, de muitas formas e pelo menos em algum grau, limitada." Desse modo, aquilo que deveria tornar as pessoas ilimitadas e libertar o espírito que existe nelas trabalha contra isso, limita as pessoas e sufoca o espírito.

Essa é a ironia do casamento, da forma como o estabelecemos. Dizemos "sim" e, a partir do momento em que dizemos "sim", *não* podemos fazer o que na maioria das vezes gostaríamos de fazer.

Muito poucas pessoas admitiriam isso nos primeiros arroubos do namoro e nos primeiros momentos após o casamento. Chegam a essas conclusões três, cinco ou sete anos – a famosa crise dos sete anos – mais tarde, quando finalmente entendem que, de fato, a experiência de si mesmos no mundo foi de um modo geral reduzida – e não ampliada – pela instituição do casamento.

Isso não se aplica, naturalmente, a todos os casamentos, mas a um grande número deles. Eu diria à maioria deles. Por isso temos uma taxa tão alta de divórcios. Nem tanto pelo fato de as pessoas terem se cansado umas das outras, mas por terem se cansado das *restrições* e das *limitações* que o casamento parece ter imposto a elas. O coração humano sabe quando lhe pedem para ser menos.

O amor, por seu lado, tem sempre a ver com liberdade. A própria definição de amor é liberdade. O amor é aquilo que é livre e não conhece limitação, restrição ou condição de qualquer tipo. Acho então que criamos uma estrutura artificial em torno daquilo que nada tem de artificial. O amor é a experiência mais autêntica no âmbito da aventura humana. No entanto, no meio dessa grande autenticidade, criamos restrições artificiais. E isso torna muito difícil a permanência das pessoas no amor.

O que temos de fazer então é reconstruir o casamento – se é que vamos continuar a praticar o casamento –, de uma forma que proclame: "Eu não limito você. Não coloco condições para que seja bom permanecermos juntos. Não desejo de forma alguma impedir ou diminuir sua auto-expressão. Na realidade, o objetivo desse casamento, dessa nova forma de casamento, é abastecer e contribuir para a sua experiência – a experiência de quem você realmente é e de quem você escolheu ser."

Uma última coisa que o Novo Casamento traz. Ele diz: "Eu reconheço que você mudará. Suas idéias mudarão, seus gostos mudarão, seus desejos mudarão. É melhor que todo o entendimento a seu próprio respeito mude, porque, se não mudar, você terá se tornado uma pessoa muito estática e rígida, e nada me desagradaria mais do que isso. Reconheço então que o processo de evolução provocará mudanças em você."

Essa nova forma de casamento não somente permitirá essas mudanças, mas as estimulará.

Sua antiga idéia da instituição do casamento, considerando o que você diz que quer fazer e o que quer que ele seja, não é válida. Não é uma maneira válida de construí-lo. E, no entanto, ainda estamos tentando construir o casamento em nossa vida cotidiana do mesmo modo antigo que sempre usamos.

Mesmo os votos do casamento, alguns dos votos tradicionais do casamento (ainda bem que mudamos alguns deles ao longo dos anos), mas mesmo alguns dos votos do casamento, durante séculos, falavam em termos de propriedade e estabeleciam estruturas filosóficas incapazes de apoiar as escolhas do verdadeiro amor.

A propósito, os jovens sabem disso. Os jovens sabem disso instintivamente, razão por que, durante anos, e sobretudo nos anos sessenta, setenta e oitenta, eles olhavam para as pessoas mais velhas e diziam: "Estamos fora dessa. Não vamos fazer isso. Não vamos nessa direção."

E passaram a praticar o que se chama viver juntos, o que, naturalmente, nos anos sessenta e setenta, provocava o comentário: "Como podem fazer isso?" No final dos anos cinqüenta, em 1958, viver com alguém era um escândalo. Mas logo os jovens passaram a fazê-lo a torto e a direito, dizendo: "Podem defender sua idéia de casamento que nós não vamos atrás dela. Entendemos que o amor não limita, não possui, não controla, mas expande, abre mão e libera a melhor parte de quem nós somos."

Assim, conforme tem acontecido desde o começo dos tempos, sempre que alguma mudança maior ocorreu na sociedade, foram os mais jovens que abriram o caminho. Não fomos nós, os formais e conservadores, com nossos cabelos grisalhos, mas os jovens que disseram: "Nós conhecemos e podemos ensinar-lhes uma maneira melhor de viver. E vamos fazer isso agora."

Quando projetamos essa enorme mudança para o século XXI, percebemos que não são somente – isso é que é engraçado – os jovens e os adolescentes que estão vivendo juntos, mas também os mais velhos. Pessoas de oitenta, setenta e sessenta e cinco anos de idade se olham e dizem: "Bem, Martha, se eles estão fazendo assim, por que não fazemos também? Vamos viver juntos." Um número espantoso de mulheres nessa faixa de idade estão de fato dizendo: "Por que não?"

Não estamos argumentando contra o casamento como instituição. Vamos deixar bem claro. Estamos falando daquilo em que transformamos a instituição do casamento na maioria dos casos. Há muitos casamentos que foram construídos com tanto amor, que não há neles condições ou limitação. Ou pelo menos há sempre uma consciência nos parceiros de que querem escapar de qualquer movimento que restrinja ou diminua. Sinto-me feliz em dizer que minha esposa e eu procuramos ter esse tipo de relação. Por isso é o melhor relacionamento da minha vida. Porque minha mulher e eu lutamos contra qualquer limitação e não queremos que nosso amor seja condicionado por qualquer tipo de reação ou comportamento. Há apenas um comportamento que Nancy e eu exigimos um do outro: "*Viva autenticamente.* Viva sua verdade. Se tiver de me amar por qualquer motivo, que seja porque eu vivo a minha verdade." Ouviram? Quando isso acontece, sabemos que estamos num relacionamento abençoado.

Numa determinada ocasião, depois de estar vivendo com Nancy por três anos, eu disse algo a ela que me deixou chocado depois que falei. Olhei muito espontaneamente para ela um dia e disse: "Sabe de uma coisa? Viver com você é como viver sozinho." É fantástico poder dizer isso para alguém. Porque eu sou mais autêntico, mais eu mesmo, quando não há ninguém por perto. Posso me levantar e andar nu pela casa. Posso ir até a cozinha sem roupa, ou até mergulhar na piscina. Posso dizer certas coisas, posso cantar, posso fazer o que tiver vontade, ter comportamentos que só imaginei que fossem possíveis quando estivesse totalmente só. Só que agora estou com essa pessoa deliciosa e estar com ela é como estar sozinho. Nancy me devolveu a mim mesmo.

Ela disse: "Sabe como eu o amo mais?"

"Não", respondi. "Como?"

"Exatamente como é agora."

"Você quer dizer com essa barriga e tudo? Com minha risada escandalosa?"

"Eu não amo você apesar de sua risada, mas por causa dela. Não amo você apesar do que imagina que sejam os seus defeitos, mas por causa deles."

Isso é amor. Tudo mais é falso.

A propósito, vocês sabem o que são defeitos? Vou lhes explicar com uma experiência própria. Eu costumava achar que era uma pessoa com muitos defeitos, e por isso não conseguia que meus relacionamentos dessem certo.

Costumava achar que se eu me corrigisse, se pudesse me apresentar numa embalagem diferente, talvez o outro conseguisse me suportar ou até gostar de mim. Eu achava que tinha todos esses defeitos, porque todas as pessoas na minha vida, inclusive (Deus os abençoe) meus pais, algumas vezes me falavam sobre os meus defeitos. Então, há alguns anos, encontrei uma professora que me fez descobrir uma coisa incrível. Ela disse: "Você já pensou que seus maiores defeitos podem ser suas maiores qualidades simplesmente com o volume um pouco alto demais? Pense que talvez aquilo que faz as pessoas se apaixonarem por você é o mesmo que faz com que, às vezes, elas se afastem de você, só porque você aumentou um pouco o volume. Talvez o que seus amigos chamam de sua insuportável gabolice, quando dizem que você é insuportável, seja exatamente a mesma coisa, a mesmíssima qualidade que faz com que eles o busquem quando precisam de alguém para liderar a turma, para tirá-los de uma determinada confusão. O Neale é o líder da sala. Tem de ser ele. É por isso que gostamos tanto de você, Neale."

Sou uma pessoa muito espontânea e criativa. Então, quando as pessoas precisam de alguém espontâneo, alguém capaz de idealizar alguma coisa e rapidamente transformá-la em realidade, elas me procuram: "Neale, nos ajude."

Essa é também a parte de mim que eles chamam (levando tudo em conta) de "irresponsável". Então, minha irresponsabilidade é minha espontaneidade um ou dois furos acima. O que a professora disse foi: "Neale, é apenas uma questão de o volume estar um pouco acima do que devia. Mas não destrua sua espontaneidade, sua gabolice. Não tente mudar esses seus aspectos, não tente eliminá-los de seu comportamento. Não os renegue. Abaixe um pouco o volume, só um pouquinho, e perceba que há um volume adequado desses aspectos de quem você é que os torna aceitáveis em todos os momentos. Às vezes, você terá de aumentar o volume; outras, terá de abaixá-lo."

Não é uma maneira deliciosa de pensar no assunto? Não preciso mais achar que sou uma pessoa com todos esses defeitos. Simplesmente tenho todas essas grandes qualidades às vezes num volume um pouco exagerado. No momento que tomei consciência disso, pude controlar o volume com muito mais liberdade. Entenderam?

O verdadeiro relacionamento vê e sabe tudo isso. O verdadeiro relacionamento é *fundamentado* ou construído sobre um paradigma inteiramente novo, que diz: "Eu vejo em você o que eu escolho ver em mim. Dou a você o que escolho, eu mesmo, receber." O verdadeiro relacionamento também diz: "O que eu tiro de você, ou procuro não permitir que você tenha, eu tiro de mim. Não posso me permitir ter o que não permito a você ter."

Nosso desafio, portanto, consiste no seguinte: é possível viver um relacionamento sem nenhuma condição? É possível viver um relacionamento que nunca diz não, mas simplesmente sim ao outro? Podemos usar o relacionamento como uma expressão do tipo mais sublime de amor que somos capazes de imaginar? Amamos nosso parceiro o suficiente para dizer essas três palavras mágicas? Não se trata de "eu te amo". Estas estão, falando francamente, bastante desgastadas. As três palavras mágicas de todo relacionamento são: *como você quiser.*

Como *você* quiser.

Quando estamos preparados para dizer isso, então verdadeiramente teremos devolvido as pessoas a si mesmas. Até estarmos prontos para dizer isso, simplesmente procuramos usar nosso relacionamento com o outro para conseguir aquilo que imaginamos necessitar a fim de sermos felizes. Você tem uma pergunta...

*Bem, há milhares de perguntas, conforme você sabe. Mas este é um assunto em torno do qual construí minha vida. Há muitos anos venho dando cursos sobre relacionamento. Sou casada há bastante tempo. Durante um longo período, vivi um relacionamento feliz, do tipo que você fala. Mas no momento, não. Tenho um casamento com muita liberdade. Foi um casamento fundamentado numa declaração que fiz quando começamos. Eu disse: "Nosso relacionamento funciona, contribui muito para a minha vida. Tudo nele contribui." Vivi com a convicção de que o que acontecia não precisava estar de acordo com o que eu imaginara. Qualquer coisa que estivesse acontecendo fazia parte do que servia para mim. E funcionava, de fato, mesmo quando não se parecia com o que eu queria. Eu percebia que minha capacidade de lidar com os desafios da situação era a minha maneira de contribuir para o mundo.*

Qual é o problema, então?

*O problema é que, de algum modo, meu marido e eu estamos presos numa luta de poder que está nos perturbando. Não consigo ver como sair dela. Não sei o que perguntar. Só sei que amo meu marido profundamente. E ele me ama da mesma forma.*

Então vocês se encontram nessa luta de poder. Gostaria de lhe dizer, a respeito disso, algo que pode parecer um pouco duro. "E daí?" Por que você não está bem? Por que aquilo que se chama "luta de poder" lhe perturba? O que há de errado nisso?

*Atribuo grande parte da minha atual insatisfação ao que não estou tirando do relacionamento. Então essa questão de não tirar nada do relacionamento e prestar atenção somente ao que quero investir nele é uma idéia de que, até agora, eu estava me afastando. Ouvi o que você disse. Há uma falta da experiência do amor no relacionamento. Num nível essencial, há um amor profundo entre nós. Quando nos entregamos um ao outro, muitas vezes temos a sensação de estarmos nos descolando de nossas identidades humanas. Ficamos muito unidos e sinto como se finalmente tivéssemos abandonado o ringue. Somos como dois boxeadores – quando soa o gongo, nos dependuramos um no outro. Vivemos um intenso momento de amor, porque realmente nos amamos profundamente. Sou sua igual e ele é meu igual. Somos de tal maneira iguais na luta de poder, que ficamos esgotados. Enquanto não lutamos, há um reconhecimento da parceria, do amor e da ligação transcendental que existe. Mas no dia-a-dia estamos nos ferindo muito.*

Bem, parem de fazer isso.

*Como vou conseguir sem me adaptar a condições que não funcionam para mim?*

Não se adapte a condições que não funcionem para você. Simplesmente pare de considerar um problema o fato de se recusar a se adaptar a algo que a violente. Não se adapte e pronto. Vou usar um exemplo simples, que talvez pareça fútil, mas que serve para explicar o que estou falando. Não é algo que esteja acontecendo conosco, mas uma história que estou inventando para usar um exemplo realmente fácil, de modo que todos nós possamos entender.

*Isso vai ser ótimo.*

Eu tenho horror a cigarro, a cheiro de cigarro, a fumaça de cigarro. É algo que me incomoda extremamente. Digamos que Nancy comece a fumar e que aos poucos vá ficando viciada, a ponto de deixar a casa impregnada de cheiro de cigarro, os cinzeiros cheios de guimba e até seu cabelo e sua roupa cheirem a cigarro, sem falar no hálito. Eu digo a ela o quanto isso me incomoda, como me sinto violentado, e ela faz algum esforço, mas o vício é maior. Continuo a amar minha mulher, mas acho cada vez mais difícil me adaptar a esse comportamento.

Bem, eu posso simplesmente me recusar a me adaptar a esse comportamento. Converso, negocio, tentamos juntos achar alguma solução, até chegar a um ponto-limite: Nancy não consegue parar de fumar e eu estou extremamente infeliz com a situação criada. Isso não significa que eu deixe de amar Nancy, ou que eu condene seu comportamento: afinal, é uma necessidade dela, mas viver naquele ambiente está me fazendo mal. Nesse momento, acho fundamental fornecer a Nancy um dado de realidade. Pode talvez soar a chantagem ou ameaça, mas lhes garanto que não é. Trata-se de um honesto dado de realidade. Eu diria qualquer coisa mais ou menos assim:

"Nancy, minha querida, eu a amo muito e adoro viver com você. Mas está se tornando absolutamente insuportável morar numa casa cheirando a cigarro, na companhia de uma pessoa que fuma sem parar. Apesar de ser extremamente doloroso para mim viver em outra casa, vou ser obrigado a isso se for impossível para você deixar o vício. Pode ter certeza de que eu amo você. Amo tanto quanto sempre amei, e estou sofrendo muito, mas vou ter que sair de casa."

Nancy talvez pudesse retrucar (mas acho que não o faria): "Você quer dizer que está saindo de casa só porque estou fumando? Isso quer dizer que você está condenando meu comportamento." Eu responderia: "Posso até entender que você tenha a sensação de que eu a estou condenando, mas o que eu quero mesmo transmitir é que desejo simplesmente viver minha verdade autêntica. E essa verdade é que quero ser feliz, amo você, mas não consigo viver numa casa com cheiro e fumaça de cigarro. Se você quiser continuar a fumar nesta casa, vou ter de viver em algum outro lugar, mesmo sabendo o quanto isso vai doer. E vou amar você, mesmo vivendo em algum outro lugar."

Com base nesse dado de realidade, caberá a ela decidir.

*Muito bem, entendi.*

As questões que tradicionalmente levam as pessoas às lutas de poder geralmente têm a ver com o tempo, a disponibilidade e as atividades do outro. Em outras palavras, "você não passa tempo suficiente comigo ou está se dedicando a atividades com as quais não concordo". São esses os temas por que lutamos. Vou lhes dar um exemplo de como isso poderia acontecer na vida real. De repente seu marido se torna um obcecado pelo trabalho e, enquanto nos primeiros três anos do casamento passava muito tempo com você, subitamente começa a passar cada vez menos e, depois de sete ou oito anos, dificilmente fica algum tempo com você. Vocês começam uma luta de poder em torno disso, porque um está tentando controlar o tempo do outro.

Você diz então: "Quero você em casa pelo menos três fins de semana por mês. Não quero você fora de casa o tempo todo, sempre viajando, rodando algum filme importante ou preparando algum grande projeto, debruçado sobre o trabalho ou seja lá o que for. Você não está me dando nenhuma atenção." Você talvez não usasse essas palavras – talvez alguém muito, muito franco usasse –, mas a maioria das pessoas expressaria o mesmo sentimento de formas diferentes. Simplesmente diriam: "A verdade é que quero sua atenção. Quero seu tempo." E aí se estabelece uma luta de poder.

Talvez o parceiro que está sendo cobrado tente fazer uma proposta meio desajeitada: "Tudo bem, eu saio apenas um fim de semana ou dois por mês." O acordo é estabelecido e, se o parceiro decide viajar três fins de semana em um determinado mês, começa a se sentir culpado, dominado e em seguida *controlado*, o que vai gerando um ressentimento que logo se transforma em nova luta pelo poder: "Que direito você tem de me dizer o que eu vou fazer do meu tempo?"

Nancy e eu aprendemos a não entrar nesse tipo de luta de poder. Se eu estivesse fazendo algo de que ela discordasse, ou que não fosse bom para ela, imagino que Nancy simplesmente afirmaria: "Se isso é fundamental para você, continue fazendo, mas eu preciso lhe dizer que não fico feliz quando você passa três fins de semana longe de mim e longe de casa. Se você não puder abrir mão disso, tudo bem, mas quero que você saiba o que vai acontecer se você continuar assim por muito tempo. Vou acabar encontrando alguém com quem passar meus fins de semana, porque não quero mais ficar sozinha."

E prosseguiria: "Pode parecer chantagem ou ameaça, mas garanto que não é. Estou só dizendo o que sinto para que você saiba. Gosto de estar com alguém. Gosto de partilhar os dias e os momentos da minha vida com alguém que eu ame e, apesar de sofrer muito, vou compreender se você decidir não ser esse alguém. Quero que se sinta completamente livre para escolher o que é melhor para você. Sem ressentimentos, sem raiva, sem irritação, sem acusações. Só um reconhecimento da verdade dos nossos sentimentos e do nosso desejo. E quero repetir uma coisa: se eu pudesse escolher alguém para amar e viver, continuaria sendo você. Por isso estou usando essa aliança, o que não significa que você tenha de fazer a mesma escolha."

Vocês perceberam? Minha mulher estaria simplesmente informando o que sente e deseja, com muita dor, mas sem nenhuma agressividade. Não se trata de: "Estou avisando." Trata-se de: "É isso que é. Simplesmente isso. Quero partilhar a vida com você de forma aberta e honesta, porque gosto imensamente de você e o respeito. E acho importante também dizer que eu sinto necessidade de morar com alguém de quem eu goste, em quem confie, com quem possa estabelecer uma relação de cumplicidade e companheirismo. Por isso vou estar aberta para encontrar essa pessoa. Essa é minha verdade franca e pura. É assim que tem de ser. Nós agora conhecemos os fatos e podemos escolher com base nessas informações."

"Isso não significa que eu já tenha alguém em vista caso você dê um passo em falso. O que estou dizendo é que se, a longo prazo, você escolher ter um comportamento que não me faça feliz, que não me sirva – e se eu escolher ter, a longo prazo, um comportamento que não faça você feliz –, nós dois temos alternativas. Não preciso aceitar um comportamento que me faça mal, que me prejudique. E posso encontrar alguém que me faça companhia e partilhe comigo muitas das coisas que eu esperava partilhar com você."

Como vocês vêem, não há luta de poder quando não há luta pelo poder. Há apenas cada pessoa – ou pelo menos uma das duas – desistindo da luta e retornando ao centro de seu próprio poder, permitindo-se ser, fazer e ter o que escolher, sem condenar o outro.

"Escolha o que escolher. Escolha fumar. Escolha

passar a maior parte do tempo fora de casa. Escolha o que quiser e eu escolherei o que eu quiser." Isso permite a Nancy fazer um julgamento de valor. Fumar é tão importante para ela a ponto de permitir que seu relacionamento comigo mude e não sejamos capazes de dividir a mesma casa? Duas alternativas: ela continuará a fumar, demonstrando que fumar é, de fato, importante para ela a ponto de deixar que seu relacionamento comigo mude desse modo, ou deixará de fumar. Ela mudará seu comportamento. Não porque eu a esteja forçando, mas porque ela fez a escolha *livre e decidida* de controlar um comportamento para evitar as conseqüências que também não a fariam feliz. Vocês vêem a diferença?

*Entendi. Muito obrigada.*

Não me agradeça. É assim que o amor reage. Não é uma queda-de-braço para ver quem vence. É uma busca conjunta da felicidade de cada um. O amor não luta por poder. Nunca.

Alguém tem outra pergunta?

*Neale, qual o seu grande desafio no relacionamento?*

Meu grande desafio no relacionamento é a transparência – permanecer visível. Mesmo depois de alguns anos com a mesma parceira maravilhosa, há sempre aquele momento de medo. E se ela descobrir tal coisa? Não me amará mais. Se ela souber que peguei aqueles cinco mil, investi naquelas ações e perdi? Jamais contarei isso a ela. Ou que saí uma tarde e comprei um carro de luxo?

Esse foi meu ato mais ousado há dois anos. Vinha pela estrada e dei com uma revendedora de carros. Uma revendedora nova. Vi um carro que eu namorava há muito tempo. E pensei: "Vou levá-lo." Comprei um carro em vinte minutos. Fui dirigindo para casa. Durante todo o percurso, eu me acusava: "Isso é ridículo." E me perguntava: "Como posso esconder esse carro da minha mulher?" Sabia que ela descobriria mais cedo ou mais tarde. Provavelmente antes do jantar. "De quem é esse carro na rampa?" O que eu pensava era (eu me sentia um escolar voltando ao banco da escola): "Será que ela vai me dar uma bronca?" Respirei fundo: "Isso é uma doideira." Peguei o telefone celular enquanto dirigia e falei: "Fique do lado de fora esperando. Quero mostrar uma coisa." Ela perguntou: "O que é?" E eu respondi: "Acabei de comprar um carro."

Senti um imenso alívio. Mas é incrível como as marcas de infância ficam em nós, e, apesar de sabermos que temos com nossa companheira um relacionamento adulto, há sempre o medo do pito, da surra por mau comportamento. E pode ser que o pito venha, porque também fomos condicionados a julgar, condenar e reagir severamente. Mas se tivermos nos empenhado em construir um relacionamento de respeito às escolhas do outro e às nossas próprias escolhas, o máximo que fazemos é tentar entender as razões que nos levaram a tomar tal ou tal decisão.

Porque nem sempre as escolhas são feitas com liberdade, e faz parte do processo de crescimento mútuo um ajudar o outro a descobrir as motivações de seus atos.

Acho que a transparência é o maior desafio do relacionamento, mesmo com relação a alguém a quem confiei minha vida. Realmente confiei minha vida a Nancy. Confio na incondicionalidade do amor dela. Ainda assim, me preocupo em ser totalmente claro e totalmente aberto e completamente honesto com relação a todos os sentimentos, todos os pensamentos, todas as idéias que tenha, toda a concordância e toda divergência, toda e qualquer coisa que eu esteja fazendo. Vou lhes dizer de onde acho que, mais profundamente, vem essa preocupação, esse temor. Acho que meu medo da transparência no relacionamento remonta ao medo de toda uma vida, ao antigo medo de Deus. Obviamente, minha idéia é que Deus vai me "pegar" por isso.

A propósito, devo confessar que ainda tenho essa idéia até hoje. Num nível muito pequeno, ainda há uma pequena parte de mim – apesar do que foi comunicado por meu intermédio em *Conversando com Deus* e *Uma Amizade com Deus* –, ainda há algumas noites em que rolo na cama: "E se eu estiver inventando tudo isso? E se eu estiver errado acerca de tudo isso? E se eu tiver orientado mal milhões de pessoas a respeito de Deus? Se eu estiver errado, Deus vai me pegar."

Tenho então de me tornar transparente em relação a Deus e dizer: "Sabe, Deus, se eu estiver errado, estou certo de que Você saberá que não fiz por mal. Não pretendi intencionalmente enganar ninguém. Não me julgue, não me condene, me dê uma chance."

Viram como eu ainda posso ter uma idéia falsa de Deus? Esse não é de modo algum o Deus que eu sei que existe realmente. É o Deus da minha imaginação, o Deus do meu medo. Acho que o medo profundo que temos de ser julgados, mal-entendidos e punidos pela Divindade é transferido a outras pessoas que fazem parte da nossa vida: nossa mulher, nossos entes queridos, nosso patrão no trabalho, pessoas que ocupam um lugar de autoridade junto a nós. Meu maior desafio no relacionamento, portanto, é pensar nessas pessoas que são importantes para mim como hoje quero pensar em Deus: como meu melhor amigo. Quero ter com Deus, com minha mulher e com todos a quem quero bem uma amizade que me permita ficar nu diante deles, mental e fisicamente, e dizer: "É isso – não há nada escondido, não há planos ocultos. Isso é tudo." Este é meu maior desafio e eu o enfrento todos os dias.

*Gostaria de perguntar-lhe, Neale, sobre a questão do reflexo no relacionamento: você não gosta na pessoa com quem está daquilo que não gosta em você mesmo. Poderia comentar isso brevemente?*

Sabe, hoje em dia, eu não desgosto tanto das pessoas, porque aprendi que o que eu não gostava nelas era apenas algo que eu via em mim e de que não gostava. Mais recentemente, comecei a gostar de tudo em mim. Não é espantoso? Quero dizer, talvez seja difícil acreditar quando olham para mim, mas realmente gosto muito de mim hoje em dia. Gosto da minha aparência. Gosto das minhas atitudes. Gosto das minhas idéias. Gosto da minha loucura. Gosto da minha espontaneidade. Gosto do meu lado muito pouco convencional. Gosto da parte em mim que não é tão boa. Gosto até da minha risada escandalosa. Gosto de tudo em mim e devo dizer-lhes que é a primeira vez na vida que me sinto assim. E, porque me sinto assim, há muito poucas coisas nas outras pessoas de que desgosto. Tornei-me imensamente tolerante. Eu mesmo acho extraordinário olhar para as pessoas ao meu redor e amar todas elas. É ótimo. Aceito os comportamentos, características e traços de personalidade que até há poucos anos rejeitaria imediatamente. Acho que o que acontece é que, junto com a auto-estima, vem um enorme amor pelos outros, porque penso comigo mesmo: "Afinal, se você se ama, pode amar qualquer coisa."

*Quais são os cinco níveis da comunicação da verdade?*

Quando falo de transparência no relacionamento, penso freqüentemente nessa comunicação da verdade, que é de fato do que trata a transparência. E tenho consciência de que essa comunicação se dá em cinco níveis.

O primeiro nível é quando você diz a si mesmo a verdade a seu respeito. Este foi um enorme desafio para mim, porque menti para mim durante muitos e muitos anos. Pode parecer incrível uma pessoa literalmente mentindo para si mesma, mas não é difícil fazer isso, e foi o que eu fiz durante um longo tempo.

O segundo nível da comunicação da verdade é quando você diz a verdade a você mesmo a respeito do outro. Eu menti para mim mesmo sobre isso também por muitos, muitos anos. Por exemplo, durante anos eu disse a mim mesmo que amava apaixonadamente a pessoa com quem estava. Sempre que pensava que não amava, sempre que me permitia até mesmo imaginar "Quem sabe não a amo mais", uma voz dentro da minha cabeça negava: "Não seja tolo, claro que você a ama." Porque era isso que eu achava que *devia* pensar. Era assim que eu achava que *devia* ser. Dessa forma, menti para mim mesmo a esse respeito por um tempo enorme, até que um dia eu disse a mim mesmo a verdade sobre o outro. Não tive coragem de dizer em voz alta, mas disse a mim mesmo, o que significou superar um grande obstáculo.

O terceiro nível é quando digo a verdade sobre mim mesmo para o outro, como estou fazendo com vocês agora.

O quarto nível é quando digo a verdade sobre o outro *a ele mesmo* – a minha verdade, naturalmente, aquilo que penso, não a verdade absoluta. *A verdade,* objetivamente, não existe, mas partilho minha verdade mais íntima sobre o outro com esse outro.

E o quinto nível da comunicação da verdade é quando se diz a verdade a todos sobre tudo. Não é fácil chegar a esse nível. Se conseguirem dar esses cinco passos, terão dado cinco passos para o céu, porque o céu é... não ter de mentir mais.

*Já ouvi dizer que, às vezes, a dor parece abrir à força o coração para que ele possa experimentar mais amor. Por que nossos corações, às vezes, precisam ser "quebrados", a fim de sentirem?*

Não acho que os corações precisam ser "quebrados" para se abrirem. Quem disse que a dor abre à força o coração para que ele possa experimentar mais amor talvez tenha descrito um fenômeno que acontece, mas que não é *obrigatório* acontecer. Acho que é inteiramente possível experimentar e sentir mais amor sem nenhuma dor. Vivemos acreditando em vários mitos culturais. Há um enorme mito cultural que diz que o amor machuca e que a dor abre caminhos, que não há ganho sem sofrimento, e outros mitos mais. Quero lhes dizer que venho descobrindo, nos últimos anos, que é possível amar com alegria e sentir todo o amor que o coração humano é capaz de conter sem qualquer dor. Estou pronto então para afirmar que rejeito a noção de que dor e amor têm de caminhar de mãos dadas e de que há apenas um modo de se chegar a alguém: através da porta com a placa "dor". Não é necessário, é um mito cultural e podemos nos afastar dele simplesmente escolhendo fazê-lo.

*Mesmo quando o parceiro nos deixa, não há dor?*

É claro que há sofrimento, porque se trata de uma perda. Mas, no sentido mais profundo, não há dor. Não há dor quando descobrimos e sabemos quem somos, independente do que os outros possam achar de nós. Houve um tempo em que eu pensava que, quando minha parceira me deixasse, ia levar com ela minha identidade – minha idéia a respeito de quem eu sou. Hoje aprendi e afirmo com a mais tranqüila convicção, embora possa parecer pretensioso: quando minha parceira sair, haverá outras prontas para entrar. Porque eu me sinto uma pessoa esplêndida e maravilhosa. E cada um de vocês pode pensar o mesmo a seu respeito, não precisando que ninguém mais o diga. É preciso tomarmos posse de nós mesmos, sem depender dos outros para saber quem somos.

*Que papel Nancy, sua mulher, desempenha em sua carreira?*

Vou lhe dar uma resposta que talvez você ache esquisita. Ela desempenha todos os papéis e nenhum papel. Em outras palavras, é preciso ficar bem claro que Nancy não é a força que torna minha carreira possível. Se eu achasse que isso era verdade, teria um medo enorme de perdê-la, porque, então, perderia tudo. Não vejo Nancy como o elemento que torna possível minha vida tal como é vivida agora. No entanto, de algum modo muito misterioso e interessante, sem ela, minha vida atual não seria possível.

Eu acho que o papel que Nancy desempenha na minha vida é ser a pessoa que mais me vê como eu me vejo. Ela me vê como eu me imagino. O amor faz isso. O amor diz: "Desejo ver você como *você* se vê no que tem de melhor. É assim que eu desejo ver você." Na realidade, o amor diz mais: "Não só eu desejo ver você como você se vê no que tem de melhor, como desejo ver você até como você não se vê. Desejo ver você como *mais* do que você se vê."

Alguém afirmou uma vez: "Se nós nos víssemos como Deus nos vê, sorriríamos muito." Acho que Nancy me vê como Deus me vê. Encontro bilhetinhos amorosos dela dentro da minha agenda e de vez em quando ela me surpreende agradavelmente com um presentinho, uma coisa de nada, só para expressar amor. Ela me diz coisas o tempo todo, pequenas coisas que me dão alegria. Há pouco ela passou por aqui e murmurou: "Como você é bonito!" Talvez não devesse contar essas histórias, mas acho importante compartilhá-las. Porque se, mesmo por um momento, eu achar que isso talvez não seja verdade, corro o risco de voltar aos pensamentos antigos a respeito de mim mesmo, a achar, por exemplo, que não sou fisicamente atraente. Pessoas como Nancy, que realmente nos amam, nos ajudam a nos manter firmes nos pensamentos mais ousados sobre nós mesmos.

É isso! Acabou de me ocorrer. As pessoas que *realmente* nos amam nos mantêm firmes em nossos pensamentos mais *ousados* sobre nós mesmos. Você *é*. Você *pode*. Esses pensamentos ousados que temos no meio da noite, que não ousamos partilhar com ninguém, porque vão nos chamar de pretensiosos, egoístas ou irresponsáveis. Ouso pensar isso a respeito de mim mesmo? Quando estamos perto de uma pessoa que nos ama profundamente, não precisamos ter esses pensamentos, porque ela o faz para nós: "Como você é atraente. Como você é corajoso. Como você é bom. Como você é maravilhoso. Que bom que é estar com você." Nancy me diz essas coisas todos os dias, várias vezes. Que papel isso desempenha na minha vida? Não tenho palavras para expressar.

*Em seus livros, fala-se sobre descobrir o que se quer – o que se quer ser, o que se quer ter e o que se quer fazer. Em termos de relacionamentos, entendi isso ao pé da letra – achando que devia estabelecer exatamente o tipo de parceira que gostaria de ter. Descobri depois que as parceiras que se apresentavam eram diferentes do que eu imaginara. Isso me deixou um pouco confuso, porque fiquei sem saber se devia definir exatamente o que queria ou aceitar aquilo que o universo me trouxesse. Gostaria de lhe pedir que comentasse isso.*

Obrigado. Acho ótima a sua pergunta.

Com relação aos relacionamentos ou qualquer outra coisa na vida, gosto de ser muito específico sobre aquilo que eu escolheria. Depois de ser o mais específico possível, *acolho o que aparece.* E faço isso para nunca impedir Deus de realizar os milagres que arquiteta. Nunca tento dizer a Deus como alguma coisa deve ser exatamente, mas apenas qual é a minha idéia sobre ela naquele momento.

Quando eu era jovem, idealizava como deveria ser a parceira perfeita. Qualquer pessoa que não se ajustasse àquele molde era quase automaticamente rejeitada. Literalmente as ignorava, não lhes dando qualquer atenção, como se não existissem. Então aconteceu um desses deliciosos acidentes da vida. Eu me apaixonei por uma mulher muito diferente das imagens que tinha criado. Quase recuei, porque, como disse, normalmente eu ignorava esse tipo de pessoa. Mas foi impossível recuar. De repente me dei conta de que se tratava de um ser humano extraordinário e constatei o quanto tinha perdido na vida insistindo para que as pessoas, os acontecimentos, os lugares, ou seja, *tudo* na minha vida fosse da maneira como eu determinara.

Quando ia a uma festa, se não era o que eu esperava, saía. Vivia sempre com base em expectativas, sobretudo nos meus relacionamentos. E estava perdendo muito.

Nancy não se ajustava a nenhuma das imagens anteriores do tipo de mulher com quem eu achava que me envolveria a longo prazo, por uma série de razões. Só para dar um exemplo, ela era muito mais sensível e muito menos espontânea do que eu, além de vários outros aspectos que não correspondiam ao que eu idealizara. Vejo agora que as diferenças entre nós não deviam necessariamente criar lacunas, nem são questões que tornam Nancy inaceitável. Na realidade, são aspectos que se equilibram com os meus. Mas eu nunca teria percebido isso quando era mais jovem e imaturo.

Então, meu melhor conselho para quem está procurando um parceiro, ou qualquer outra coisa na vida, é que tenha uma idéia do que está buscando. Mas que esteja aberto para descobrir que a bondade e a beleza às vezes vêm em embalagens absolutamente inesperadas. Não rejeite, não descarte como inaceitável essa energia que vem ao seu encontro. Porque é possível que descubra que o que está procurando está bem debaixo do seu nariz e você não viu porque não estava de olhos abertos.

Algumas das partes mais esplêndidas da minha vida chegaram de maneira bastante inesperada e teriam sido consideradas inaceitáveis tempos atrás. Vou dar um exemplo aparentemente sem importância. Atualmente eu como alimentos que não comeria há alguns anos. Como vários tipos de alimento e estou aberto às novidades. Minha mãe costumava dizer: "Tente. Experimente." Nunca entendi a sabedoria desse conselho. Não é sábio somente com relação à comida, mas a tudo na vida. Pelo amor de Deus, tentem, experimentem. Literalmente, por amor de Deus. Porque vocês podem encontrar seu céu aqui mesmo. Por isso, não se prendam a determinadas coisas, a certas expectativas. Permaneçam abertos. E dêem espaço para que Deus crie a perfeição para vocês.

Vou dar de novo um exemplo da minha vida com Nancy, e tudo o que vou dizer aqui Nancy já ouviu de mim. Quando ela surgiu na minha vida, como já disse, não se ajustava a qualquer das imagens da pessoa com quem eu gostaria de passar o resto da minha vida. Acho que o mesmo pode ter acontecido com ela a meu respeito. Não sei. Nunca perguntei. Sei que, no meu caso, ela não veio na embalagem que eu tinha em mente com relação à aparência que minha parceira devia ter. A melhor coisa que fiz na vida foi dizer ao encontrá-la: "Em vez de rejeitar imediatamente essa mulher, vou ver que tipo de presente Deus colocou na minha porta." Graças a isso, acabei descobrindo que Deus tinha me mandado o maior tesouro que minha vida jamais conheceu.

E o interessante é que agora essa companheira tão preciosa serve de padrão para sutilmente medir todas as outras pessoas. Imagino até que não seja muito sábio da minha parte fazer isso, mas é o que acontece, e quero ser transparente com vocês para mostrar-lhes o que aconteceu comigo. É engraçado, mas o que não correspondia à minha imagem ideal num certo momento tornou-se de tal modo essa imagem, que agora meço todos por ela – o que é igualmente injusto. Tenho de crescer e parar de fazer isso.

*O que eu percebi na minha vida – complementando o que você acabou de dizer – é que quando eu achava que sabia quais as qualidades que a pessoa que buscava devia ter, eu me dava conta de que procurava essas qualidades porque elas me faziam sentir de determinada maneira. Descobria então que, quando alguém surgia e o sentimento combinava com o que eu estava tentando conseguir no relacionamento, era isso que dava valor àquela pessoa. Não me importavam realmente as suas qualidades, apenas que os sentimentos combinassem.*

É uma observação muito perceptiva e intuitiva. Quero partilhar com vocês que, embora eu tenha sempre tentado ser específico quanto ao que queria – fosse um emprego, uma pessoa ou um carro novo –, nos últimos anos, à medida que fiquei mais velho, aprendi a desistir de especificar o que desejava. Aprendi realmente a abrir mão e deixar que Deus entrasse. E aprendi a perceber que os milagres vêm quase inevitavelmente em embalagens que não se parecem em nada com a imagem que temos deles. Assim, de alguma forma, me desapeguei. Isso se chama viver sem expectativas.

Creio que é importante entender que o amor é uma decisão, não uma reação. A maioria das pessoas pensa que o amor é uma reação. Essa é a principal diferença entre o tempo em que vivi de expectativas, com uma imagem determinada na cabeça, e aquele em que joguei fora minhas expectativas e passei a conviver com as pessoas de um modo totalmente diferente. O que fez diferença foi ter aprendido que o amor é uma decisão. Antes, eu conhecia uma pessoa e me deixava levar pelo sentimento que ela provocava em mim. Agora, eu conheço e decido se vou amar ou não. Alguém poderia dizer: "Mas essas decisões se baseiam na aparência, na personalidade, ou em outros aspectos, o que não deixa de ser uma reação."

Pois eu acho que às vezes não. Acho que essas decisões se baseiam em uma simples escolha. Escolho amar você. E quando decido amar você com um amor puro, minha escolha é incondicional. Meu amor é incondicional. Não depende da maneira como sua personalidade se mostra nesse momento ou da forma de seu corpo ou do tamanho da sua carteira ou de qualquer outra coisa sua. De fato, o amor não conhece condição, porque eu não estou simplesmente reagindo, eu decidi amar.

Quando decidimos amar alguém, estamos freqüentemente sujeitos a uma grande surpresa. Descobrimos que o sentimento que esperávamos tirar do fato de estarmos apaixonados por alguém é na realidade gerado *em nós* mesmos e simplesmente volta para *nós.* Esse sentimento que vem de nós envolve a outra pessoa. É como um planeta que gira em torno do Sol e depois retorna do outro lado do céu. É o efeito bumerangue. E a grande ilusão finalmente se quebra. Qual é a ilusão? É pensar que aquele sentimento de mágica e assombro, aquele toque especial que procuro no relacionamento, vem da outra pessoa. Na verdade, ele sempre vem de nós. E quando decidimos mandá-lo para o outro, e o fazemos deliberadamente, o sentimento inevitavelmente retorna para nós.

Quando eu queria que as coisas ou as pessoas fossem de determinada maneira, tinha de fazer a mim mesmo a pergunta que eu imagino que vocês têm em mente. A pergunta é: por que eu acho que essa forma é de algum modo melhor do que outra? Por que acho que magro é melhor que gordo, ou gordo é melhor que magro, ou branco é melhor que negro, ou...? O que é que eu penso a respeito disso? O que significa tudo isso?

Quando resolvi pensar sobre essa questão, percebi que estava só fantasiando toda aquela história. E de repente me dei conta de que, se deixasse de determinar o que imaginava que fosse o ideal, poderia encontrar tesouros em todo lugar, em pessoas com quem nunca pensei que me relacionaria, em coisas de que nunca pensei que fosse gostar. É como um adulto descobrindo que espinafre não é tão ruim assim.

Cheguei a descobrir que se pode aprender a

gostar de brócolis. Passei a achar muito bom. Por isso, nunca sabemos quando o brócolis vai entrar pela porta.

Há mais perguntas sobre relacionamento? Ou vocês querem digerir melhor o que ouviram? Quantos de vocês estão prontos para viver seus relacionamentos de uma forma que pareça dizer: "Eu desejo para você o que você deseja para você"? Quantos de vocês estão prontos para viver um relacionamento que pareça dizer ao ser amado: "O amor nunca diz não"? (Mãos se levantam.)

Ótimo. Quase todos na sala. Algumas mãos se levantam um pouco mais lentamente que outras. Mas é ótimo. Por favor, entendam que isso não irá garantir que o relacionamento permanecerá como é agora. Não saiam da sala pensando: "Consegui a chave. Vou viver dessa maneira. Meu relacionamento vai permanecer assim para sempre." A outra pessoa poderia dizer: "Eu agradeço. Será que o que você deseja para mim é o que eu desejo para mim? Estou fora. O que eu desejo para mim é sair daqui. Estive apenas esperando permissão." Sabe como é, "sair numa boa".

Não quero que ninguém pense que o que estou sugerindo é que, vivendo dessa maneira, se tenha alguma garantia. Todos nós tentamos conseguir essa garantia. "Como posso fazer para que tudo funcione para sempre?" Bem, é impossível fazer com que tudo funcione agora e para sempre. Ou, mais corretamente, *funcionará,* até mesmo para sempre. Só que *pode funcionar diferente da maneira como você pensa que deveria funcionar.*

Quando um dos meus relacionamentos terminou, eu achei que era uma tragédia. Fiquei desesperado, sofri profundamente, com uma intensa sensação de fracasso. E a verdade é que o final daquele relacionamento abriu a porta para algo muito mais enriquecedor e muito mais recompensador do que qualquer outra experiência que imaginei poder ter. Mas foi só quando permiti que o que ocorria prosseguisse, sem julgar, condenar ou chamar de tragédia, mas simplesmente deixando acontecer, que pude experimentar o que vinha ao meu encontro. Descobri então que o universo age de formas extraordinárias e que, se deixarmos de julgá-lo e permitirmos que faça o que está fazendo e que seja o que está sendo, encontraremos a paz e a alegria que estão sempre presentes dentro de nós.

A propósito, gostaria de dizer novamente, esta é a chave principal, se é que há uma chave: devemos parar de buscar no outro a paz e a alegria que procuramos durante tanto tempo e saber que aquilo que procuramos já está presente dentro de nós. Minha maior alegria, minha maior paz são experimentadas quando me dou para o outro. Nesses momentos, desvendo o maior mistério e o maior segredo de todos os tempos.

Digo uma vez mais, como já disse antes, que aqui reside a grande descoberta: no momento em que me vejo como a Fonte daquilo que eu receberia do outro, e no momento em que decido usar minha vida para dar ao outro o que queria receber dele, nesse momento terei o máximo de certeza possível de que a sala não se esvaziará. Porque ninguém abandona a sala onde está a Fonte, ou muito poucos. E os que abandonarem? Deixe-os ir. Deixe-os seguir seu caminho. Deixe-os fazer o que estão fazendo.

*Gostaria de voltar ao assunto do casamento. Estive pensando muito ultimamente, Neale, sobre a instituição do casal. E me interessei muito pelo que você diz no terceiro volume de* Conversando com Deus. *O casamento, tal como é em nossa cultura, proporciona esse tipo de amor que queremos? Tenho a impressão de que, na entrada do século XXI, encaramos o amor e o envolvimento amoroso de forma diferente. Durante muitos séculos eles foram voltados para a sobrevivência e a procriação. Estou interessado em pensar em formas de casamento diferentes da forma tradicional, como viver juntos, com ou sem filhos, a sobrevivência partilhada e tudo mais. Há outras formas que poderíamos começar a criar mais capazes de proporcionar essa liberdade e compromisso e que nos permitam amar da melhor maneira possível?*

É uma pergunta maravilhosa. E a resposta é: sim, há muitas outras formas diferentes do relacionamento tradicional entre duas pessoas. Vemos atualmente comunidades em que grande número de pessoas vivem juntas de maneira solidária, partilhada e amorosa. Vemos o que vagamente chamamos – sei que em alguns lugares esse termo é rejeitado – de casamentos em grupo, ou famílias ampliadas, em que pessoas vivem juntas de maneira solidária, partilhada e amorosa.

Vemos casais compostos por pessoas do mesmo gênero que vivem juntas de maneira solidária e partilhada. Acho importante pensarmos que, se não abandonarmos nossos preconceitos e não pararmos de condenar essas novas formas de amor, jamais realizaremos nosso potencial mais rico e mais completo como seres humanos. A agressão a homossexuais não pode acontecer e jamais deve voltar a acontecer entre aqueles que se denominam socializados e civilizados, independentemente de suas crenças. É incompreensível para mim que esse tipo de comportamento ocorra, muito menos que seja tolerado, mesmo por uma pequena parcela da sociedade.

Creio que os casais existirão sempre. E se me perguntarem se os casais continuarão a ser a principal forma de relacionamento, eu direi que acredito que sim. Sempre. Há algo único nessa forma de relacionamento que não pode ser *re-criado* em nenhuma outra. Acho que veremos para sempre duas pessoas se unindo e co-criando a vida, e que essa continuará a ser a principal forma de relacionamento humano amoroso. Mas acho que também veremos a criação de algumas outras formas, e essas formas incluirão famílias ampliadas. Incluirão casamentos em grupo. Incluirão comunidades. Incluirão uma variedade de maneiras de as pessoas se juntarem em maior ou menor número, a fim de viverem a experiência única pela qual todos nós ansiamos: a experiência do amor ilimitado e sem dominação de um sobre o outro.

Há muito tempo estamos convivendo com essas formas de amor no planeta. Penso que essas experiências serão cada vez mais respeitadas, à medida que as pessoas abrirem mão de sua necessidade de condená-las. E acho que isso acontecerá no correr do século que agora se inicia.

A decisão de parar de nos condenarmos uns aos outros pelo que fazemos será um momento decisivo na nossa evolução social. E imagino que vá acontecer mais cedo do que pensamos. Vamos deixar de condenar uns aos outros por nossas opções sexuais. Vamos deixar de condenar uns aos outros por nossas escolhas espirituais e filosóficas. Vamos deixar de condenar uns aos outros por nossas escolhas políticas e sociais. Vamos deixar de condenar uns aos outros por nossas escolhas econômicas. Vamos deixar de condenar uns aos outros e finalmente dizer, de forma bem simples: "Descobrimos que podemos discordar sem condenar."

Vamos deixar de condenar uns aos outros porque vamos tomar consciência de que é isso que está nos matando. O que está nos matando não são os pontos de vista diferentes, mas nossa intolerância com relação ao ponto de vista dos outros. A intolerância vive seus últimos dias neste planeta. Vamos ver essa intolerância se evaporar – penso e desejo – no primeiro quarto do século XXI.

Isso acontecerá como resultado da evolução da espécie que vem ocorrendo através dessas formas experimentais do relacionamento amoroso que estamos estabelecendo. Esses relacionamentos permearão toda a sociedade. Haverá novos relacionamentos na política, na economia, na religião, novos relacionamentos em todos os níveis e, naturalmente, também novas formas de relacionamentos românticos. Não será novidade, portanto, ver um homem e duas mulheres caminhando de mãos dadas pela rua, ou uma mulher e dois homens, lado a lado, usufruindo a companhia uns dos outros.

Usufruindo profundamente a companhia uns dos outros.

Deus diz que não há forma de expressão inadequada do amor puro e verdadeiro. E a maneira de reconhecermos o amor como puro e verdadeiro é quando ele nunca se permite ferir os outros. Faço questão de afirmar isso aqui porque sempre há alguém da mídia, da extrema direita, que me critica dizendo: "Ele está incentivando as pessoas a fazer *qualquer coisa...* isso é ser conivente com os pedófilos." Vocês sabem que não é verdade. O que estou afirmando, com a maior convicção, é que *não há forma de amor puro e verdadeiro que seja inadequada.* O amor puro e verdadeiro não se permite prejudicar os outros ou tirar vantagem dos outros ou ser abusivo com relação aos outros, de nenhum modo.

As maneiras de nos unirmos para expressar o amor em sua forma mais sublime estão mudando. As pessoas que pensam que a maneira antiga era a única adequada sentem dificuldade em se adaptar a isso. Algumas estão rangendo os dentes e algumas condenando todas as outras maneiras.

Houve um tempo em que nos diziam seriamente – não era loucura de alguém ou idéia exótica, mas algo sustentado pela maioria da nossa sociedade – que a união com uma pessoa de outra *raça* era inadequada. Houve tempos em que nos diziam que amar alguém de uma *religião* diferente e se casar com ele era inadequado. Ainda há pessoas de certas raças e religiões que rejeitam seus entes queridos se estes se apaixonam por alguém que não é "um dos nossos". Como poderíamos não ser um deles? Há *apenas um de nós*. É a isso que damos o nome de Família Humana.

Nossa missão como criadores da nova sociedade é estabelecer um paradigma, um sistema, uma nova estrutura social, espiritual e política (porque muito disso tem a ver com política), que nos permita simplesmente amar uns aos outros de forma pura e verdadeira, independentemente de gênero, cor, religião ou qualquer outro fator artificialmente restritivo. Como pode ser errado que nos amemos uns aos outros? Como é possível haver uma maneira errada de expressar o amor puro que nunca prejudicaria ou feriria o outro? No entanto, nossa rigidez a esse respeito, baseada naquilo que, em nossa arrogância, supúnhamos ser a Vontade de Deus, nos levava a afirmar seriamente que o casamento entre raças diferentes transgredia a lei de Deus. E isso faz pouco tempo, há apenas duas gerações. Acreditávamos piamente que o casamento inter-racial violava a lei de Deus. Socorro! Acreditávamos de fato nisso.

Na realidade, há pessoas que ainda acreditam nisso hoje. Conheço um casal judeu que rejeitou o filho por ter se casado com uma não-judia. Que palavra usam para isso? Gentio, gói. Eles o rejeitaram porque se casou fora da fé dos pais. O que é isso? É um pensamento que diz não somente que estou separado de você – o que já é suficientemente falso –, mas, adivinhem, que sou melhor do que você! Somos melhores do que eles. Como é possível que você se case com *aquilo?*

Esses são os pensamentos que criaram os tipos de desgraças que ocorreram neste planeta todos esses anos.

A nova maneira de entender o mundo e o relacionamento entre os seres que nele habitam é que criará um novo tempo. Cabe a cada um de nós dar início a essa experiência, não apenas em nossos discursos, mas na prática concreta do cotidiano. O mundo espera há muito tempo pelo retorno de um salvador que resgate o amor. Esse salvador já chegou. Está multiplicado aqui nesta sala, está multiplicado lá fora.

Nós, que desejamos salvar o planeta e a humanidade, seremos capazes de cumprir nossa missão se estivermos atentos, cada dia, a contagiar o mundo com gestos grandes e pequenos de amor puro e verdadeiro. A fazer do amor uma decisão que nos aproxime de cada ser procurando descobrir o que ele tem de único e magnífico. A abandonar preconceitos. A divergir sem condenar.

Mas só chegaremos até aonde desejarmos ir. Só

poderemos nos tornar extraordinários se realmente desejarmos ser. Só poderemos amar plenamente quando realmente desejarmos amar assim. Vocês vieram até aqui porque estavam em busca disso. Como disse George Bernard Shaw, há pessoas que vêem o mundo como ele é e perguntam: "Por quê?" E há pessoas que pensam no mundo como poderia ser e perguntam: "Por que não?"

Agradeço por terem me ouvido.

# Conclusão

Fico grato por terem empreendido essa jornada comigo. Sei que algumas das idéias contidas neste livro podem parecer, à primeira vista, complicadas. Conceitos como "somos um só", "o amor nunca diz não" e "escolho para você o que você escolhe para você" não são fáceis de aceitar. É preciso ter coragem para acolhê-los – e mais coragem ainda para concretizá-los. Creio, no entanto, que será essencial fazermos isso se quisermos construir um mundo novo.

Há muitos recursos disponíveis que podem nos ajudar a enfrentar esses desafios. Os que querem explorar mais profundamente os novos paradigmas de relacionamento encontrarão vários ótimos livros sobre o assunto. Quero recomendar dois que me ajudaram e estimularam: *The Future of Love* (O futuro do amor), de Daphne Rose Kingma, e *Enchanted Love: The Mystical Power of Intimate Relationships* (O amor encantado: Os poderes místicos dos relacionamentos íntimos), de Marianne Williamson.

Ambos falam eloqüentemente das *possibilidades* de relacionamento, das maravilhas do amor sincero e da glória de uma comunhão de espíritos semelhante à comunhão dos corpos.

Por esses e por outros meios, espero que possamos aprender mais sobre os relacionamentos e como melhorá-los. Espero que todos nos lembremos de como amar. Já soubemos como amar. Sabíamos como viver sem expectativa, sem medo, sem necessidade de dominar o outro ou de ser superior a ele. Se conseguirmos retornar a essa condição, poderemos curar nossas vidas e curar o mundo.

Abençoados sejamos todos.

## Conheça outros importantes títulos de Neale Donald Walsch:

### Uma Amizade com Deus

"Todos somos amigos de Deus, saibamos disso ou não. Eu era um dos que não sabiam. Nem sabia aonde essa amizade poderia me levar. Esta é a grande surpresa, o verdadeiro milagre. Não tanto que possamos estabelecer uma amizade com Deus, mas o que essa amizade está destinada a nos trazer – e aonde ela pode nos levar.

Meu desejo mais profundo é que, com a ajuda deste livro, você também inicie uma verdadeira amizade com Deus e que, em conseqüência, também consiga se expressar e viver sua vida com renovada convicção.

Minha esperança é que você deixe de ser aquele que busca e se torne aquele que traz a Luz.

Deus, parece, está mais à procura de líderes do que de seguidores. Podemos seguir Deus ou podemos conduzir outros a Deus. O primeiro caminho nos modificará, o segundo modificará o mundo."

## Comunhão com Deus

"Vocês abriram este livro para aprender, com sua própria experiência, que Deus está dentro de cada um de nós.

Para que possam descobri-Lo, precisam examinar e superar as Dez Ilusões dos Seres Humanos que estão aqui descritas. Quando reconhecerem essas ilusões, vocês mudarão seu modo de pensar. Quando aceitarem que são apenas ilusões, mudarão suas crenças. E quando conseguirem viver sem elas, transformarão o mundo.

Este livro não pretende ser a Verdade. Ele pretende levá-los a descobrir sua própria sabedoria interior. Não é necessário concordar com seu conteúdo para que isso aconteça. Se concordarem, será porque estarão vendo nele sua própria sabedoria. Se discordarem, será porque não reconhecem nele sua própria sabedoria, mas ele os ajudará a procurá-la. De qualquer modo, terão dado início a um processo de descoberta."

## Conheça outros títulos da Sextante sobre relacionamentos:

De Iyanla Vanzant:
### Enquanto o Amor não Vem

O que é que se faz enquanto o amor que se deseja não vem?

"Haverá um momento em sua vida em que o amor vai chegar. Antes disso, você terá feito tudo o que podia, tentado tudo o que podia, sofrido o quanto podia e desistido muitas vezes. Mas com a mesma certeza com que você está lendo este texto, posso lhe garantir que esse dia virá.

Nesse meio-tempo, este livro vai lhe contar muitas histórias e lhe ensinar algumas coisas que você pode fazer para se preparar para o dia mais feliz de sua vida: o dia em que experimentar o amor verdadeiro."

De Louise Hay:
### Aprendendo a Gostar de Si Mesmo

"Amar a nós mesmos parece simples, mas às vezes é muito difícil. Eu gostaria de ensinar algumas maneiras que descobri para aprendermos a nos amar melhor. E quero insistir carinhosamente para que vocês as pratiquem sempre, porque as mudanças que elas podem proporcionar são impressionantes."

Inclui CD com meditação.

De Richard Carlson e Benjamin Shield:
OS CAMINHOS DO CORAÇÃO

O que é o amor? Por que ele é tão fundamental para nossa felicidade? Como podemos encontrá-lo em suas múltiplas manifestações e conseguir expressá-lo, fazê-lo crescer e mantê-lo vivo?

Para responder essas perguntas, Richard Carlson e Benjamin Shield reúnem neste livro os mais consagrados escritores que, com suas diferentes visões do assunto, vão abrir sua percepção e mostrar de forma concreta como encher a sua vida de amor.

De Allan e Barbara Pease:
POR QUE OS HOMENS FAZEM SEXO E
AS MULHERES FAZEM AMOR?

Homens e mulheres são e reagem de forma diferente, o que, muitas vezes, torna seu convívio difícil e gera ressentimentos. Mas quais são as razões dessas diferenças e até que ponto elas podem ser superadas? Como aprender a lidar com elas e administrá-las para sermos felizes em nossos relacionamentos com o outro sexo?

Os autores percorreram vários países e consultaram cientistas para compreender as diferenças entre os sexos. O resultado está neste livro, que pode ser usado como um instrumento de diálogo para ajudar homens e mulheres a estabelecer uma relação harmoniosa no casamento, na vida profissional ou em qualquer campo do relacionamento.

De Salle Redfield

## Descobrindo a Alegria de Viver

Usando visualizações e técnicas de relaxamento, Salle Redfield apresenta sete meditações que vão conduzir você, por diferentes caminhos, à felicidade e paz interior.

Cada meditação contribui para que você mude sua perspectiva de vida, construindo melhores relacionamentos, livrando-se de preocupações excessivas, aprendendo a estabelecer prioridades, definindo e atingindo objetivos ou encontrando a melhor maneira de administrar seu tempo.

O livro é acompanhado de um CD, que ajudará você a praticar as meditações e a incorporar seus benefícios.

De Brian Weiss:

## Só o Amor É Real

*Só o Amor É Real* descreve o drama da procura de almas gêmeas – duas pessoas que estão marcadas para todo o sempre pelo amor que tiveram em outras encarnações e que percorrem vidas e vidas, sempre buscando uma à outra.

Elizabeth inicia uma terapia de regressão por sofrer de melancolia. Simultaneamente, o Dr. Weiss atende Pedro, um rapaz com sérios problemas emocionais.

Elizabeth e Pedro não se conhecem no presente. Mas, ao relatar suas vidas passadas, descrevem os mesmos fatos.

Teriam sido um casal de apaixonados? A resposta a essa pergunta é uma história fascinante e enternecedora.

De David Niven:

## Os 100 Segredos das Pessoas Felizes

(descobertas simples e úteis dos estudos científicos sobre a felicidade)

Não existe a menor dúvida: ser feliz é o desejo de todo ser humano. Mas o que é ser feliz e como fazer para atingir a felicidade com que todos sonhamos?

Baseado nas pesquisas e estudos de cientistas junto a milhares de pessoas, o psicólogo e cientista social Dr. David Niven organizou uma lista dos cem segredos mais simples que são realmente capazes de tornar as pessoas felizes.

E como a leitura de um complicado tratado científico pode ser causa de infelicidade, esses segredos estão aqui colocados de forma interessante e com exemplos que vão nos fazer identificar as situações descritas e compreendê-las. Tudo para você descobrir o que pode fazer para aproveitar melhor a vida.

De Jack Canfield, Mark Victor Hansen e Heather McNamara:

## Histórias para Aquecer o Coração

(50 histórias de vida, amor e sabedoria)

Um dos maiores fenômenos editoriais dos últimos tempos, com mais de 70 milhões de livros vendidos no mundo inteiro, *Histórias para Aquecer o Coração* é o primeiro título da premiada coleção que tem inspirado leitores de todas as idades.

Cada uma das cinqüenta histórias deste livro contém algum significado especial. Elas nos falam do extraordinário poder de superação da vida, da força com que ela nos impele para enfrentar desafios e ultrapassar dificuldades.

Elas alegram, comovem, reacendem a esperança e estimulam o desejo de empenhar-se para amar e viver plenamente. São histórias que fazem bem à alma e ao coração.

De Sarah Ban Breathnach:
ALGO MAIS
(encontrando o que falta para ser feliz)

"Quero partilhar minha experiência e contar-lhe um pouco tanto da minha trajetória quanto da de outras mulheres para que você seja feliz, mais dona dessa pessoa fascinante que você é. Fascinante não por ser rica, executiva do ano ou campeã sexual. Fascinante por sua singularidade, por aquilo que é específico seu, que é único no mundo."

Com sabedoria e afeto, Sarah Ban Breathnach nos ajuda a encontrar nossa autenticidade soterrada pela rotina, pelas expectativas dos outros e pelo cumprimento automático dos deveres que nos são impostos. Assim, você estará preparada para tomar posse dos seus desejos e do direito à felicidade e plenitude que busca.

## Outros títulos da Editora Sextante:

*Bradley Trevor Greive*
– Um Dia "Daqueles" – Uma lição de vida para levantar o seu astral
– Querida Mamãe – Obrigado por tudo

*Sua Santidade, o Dalai-Lama*
– Uma Ética para o Novo Milênio
– O Caminho da Tranqüilidade
– Minha Terra e Meu Povo
– Palavras de Sabedoria

*Rachel Naomi Remen*
– As Bênçãos do Meu Avô

*Augusto Cury*
– Você é Insubstituível

*Philip Toshio Sudo*
– Sexo Zen

*David Colbert*
– O Mundo Mágico de Harry Potter

*David Kundtz*
– A Essencial Arte de Parar

*Anita Diamant*
– A Tenda Vermelha

*Tom Shroder*
– Almas Antigas – A busca de evidências científicas da reencarnação

*Gavin De Becker*
– Como Proteger Seus Filhos

*Allan e Barbara Pease*
– Por que os Homens Fazem Sexo e as Mulheres Fazem Amor

*Oriah Mountain Dreamer*
– O Convite

*Sharon Lebell (Epicteto)*
– A Arte de Viver – O manual clássico da virtude, felicidade e eficácia

*Sylvia Browne*
– O Outro Lado da Vida – Um guia psíquico para o nosso mundo
– A Vida no Outro Lado

*Shirley MacLaine*
– O Caminho – Uma jornada do espírito

*Mitch Albom*
– A Última Grande Lição – O sentido da vida

*James Van Praagh*
– Conversando com os Espíritos
– Em Busca da Espiritualidade
– A Força da Vida

*Iyanla Vanzant*
– Um Dia a Minha Alma se Abriu por Inteiro
– Ontem, Eu Chorei

*Dr. Brian Weiss*
– Muitas Vidas, Muitos Mestres
– A Cura através da Terapia de Vidas Passadas
– A Divina Sabedoria dos Mestres
– Mensagens dos Mestres

*Richard Bolles*
– Como Conseguir um Emprego e Descobrir a Sua Profissão Ideal

*Elizabeth Kübler-Ross*
– A Roda da Vida – Memórias do viver e do morrer

*David Kundtz*
– A Essencial Arte de Parar – Um método revolucionário para a paz

*Yitta Halberstam* e *Judith Leventhal*
– Pequenos Milagres

*Patch Adams*
– O Amor É Contagioso

*Domenico De Masi*
– O Ócio Criativo
– A Economia do Ócio

*Morrie Schwartz*
– Lições sobre Amar e Viver

## Informações sobre os próximos lançamentos

Para receber informações sobre os próximos lançamentos da Editora Sextante, queira entrar em contato com nossa Central de Atendimento, dando seu nome, endereço e telefone para:

EDITORA SEXTANTE
Rua Voluntários da Pátria, 45 – Gr. 1404 – Botafogo
22270-000 – Rio de Janeiro – RJ
Tel.: (21) 2286-9944 – Fax: (21) 2286-9244
DDG: 0800-22-6306 (ligação gratuita)
*E-mail:* atendimento@esextante.com.br

Para saber mais sobre nossos títulos e autores, e enviar seus comentários sobre este livro, visite o nosso *site:*

www.esextante.com.br